ESCRITURA 1

Nuevo siglo de español

Santillana USA

Nuevo siglo de español, a Spanish Reading and Language Arts series for native Spanish-speakers

Escritura 1
ISBN 10: 1-58105-691-5
ISBN 13: 978-1-58105-691-4

Santillana USA Publishing Company, Inc.
2105 NW 86th Avenue
Miami, FL 33122

Published in the United States of America.
Printed in the United States of America by HCI Printing & Publishing.

11 10 09 08 5 6 7 8 9 10 11

Santillana USA
www.santillanausa.com

CONTENIDO

De nuevo a la escuela

A **Marca** con una X el dibujo que empieza con la misma letra que el primero.

árbol

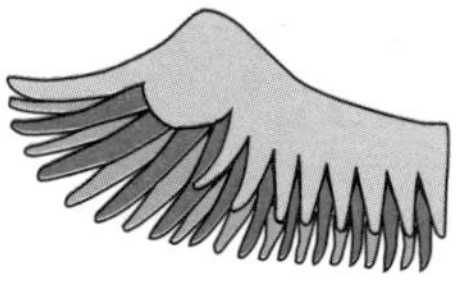

estrella

oso

imán

uvas

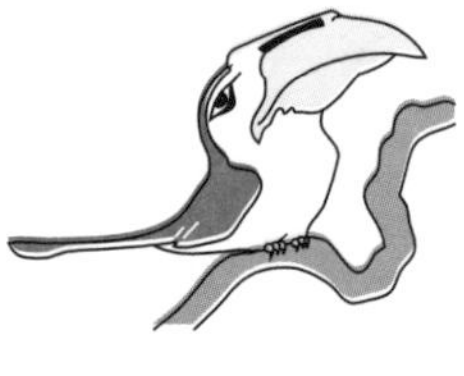
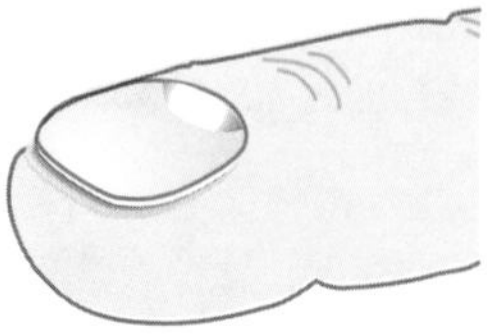

B **Recorta** palabras del periódico o de revistas.
Pégalas en tu cuaderno.
Colorea cada vocal usando la siguiente clave de colores:

A = azul **E** = verde **I** = amarillo

O = anaranjado **U** = rojo

Enlace 2

Somos amigos

A **Encierra** en un círculo las cosas que crees que llevan Tati y Pepo en sus mochilas.

B **Traza** las líneas entrecortadas para dibujar lo que llevan Tati y Pepo en sus mochilas. **Colorea** tus dibujos.

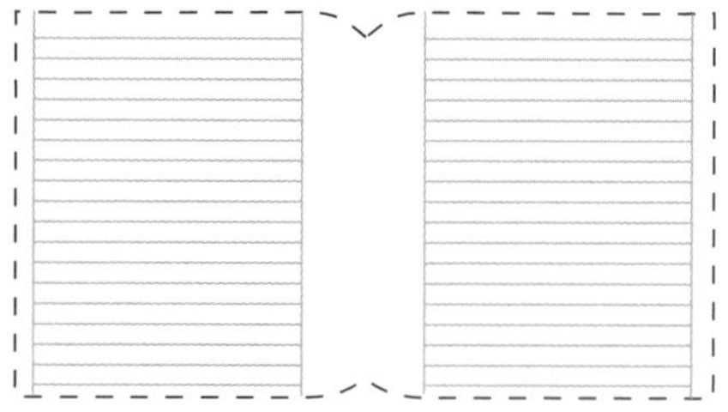

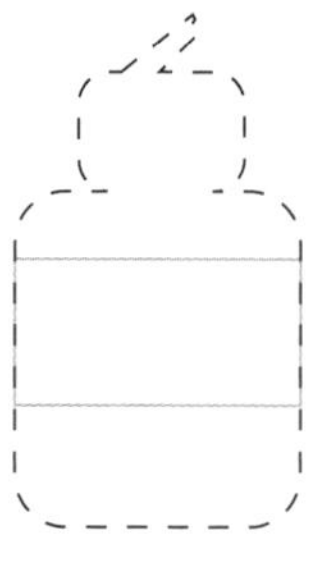

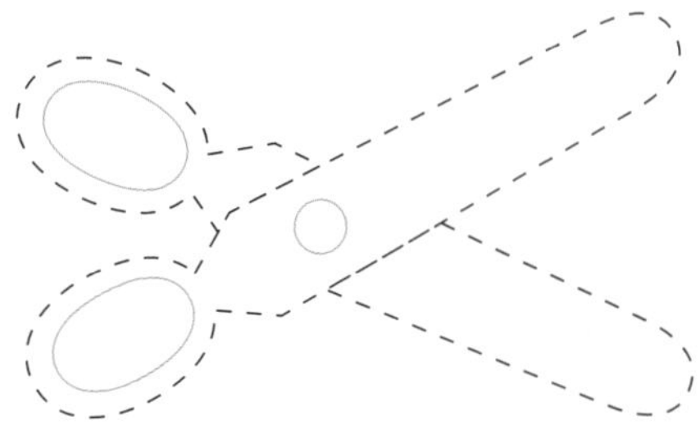

B **Copia** las palabras con **P** y **p** dentro del pez.

pato
pomo
puma
papá
Pipo
Pepe

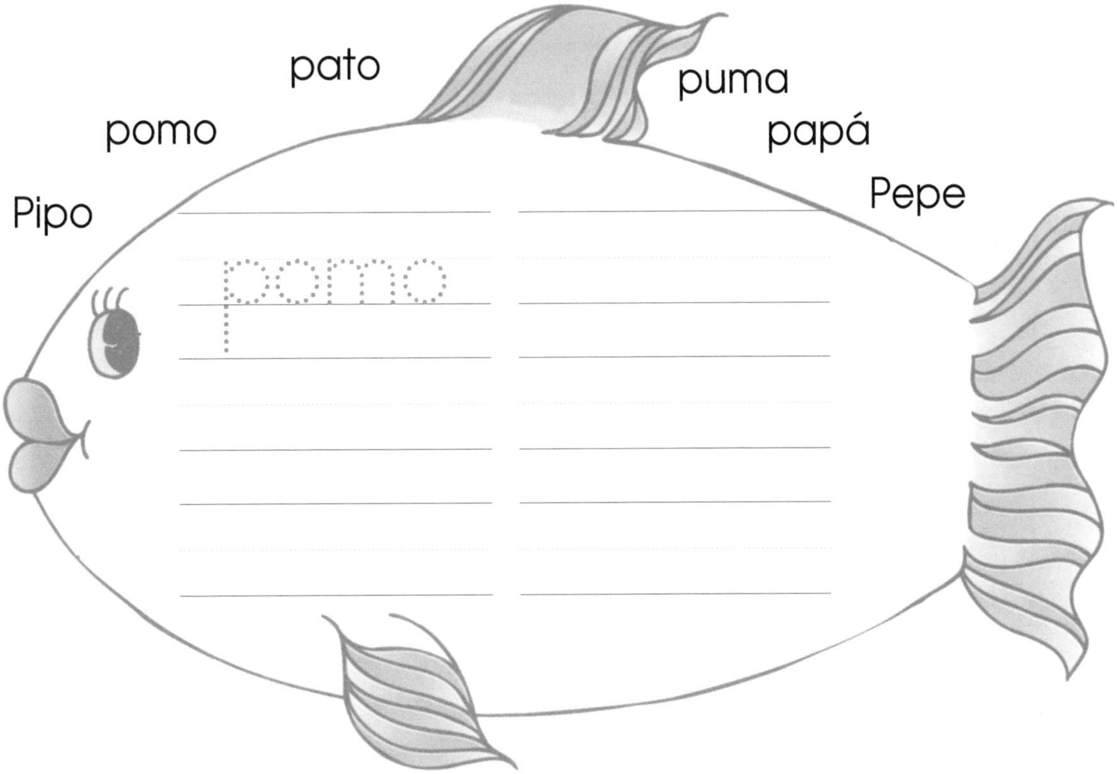

B **Copia** las palabras con **M** y **m** dentro de la mariposa.

Mima
moto
amo
Mapi
mapa
mamá

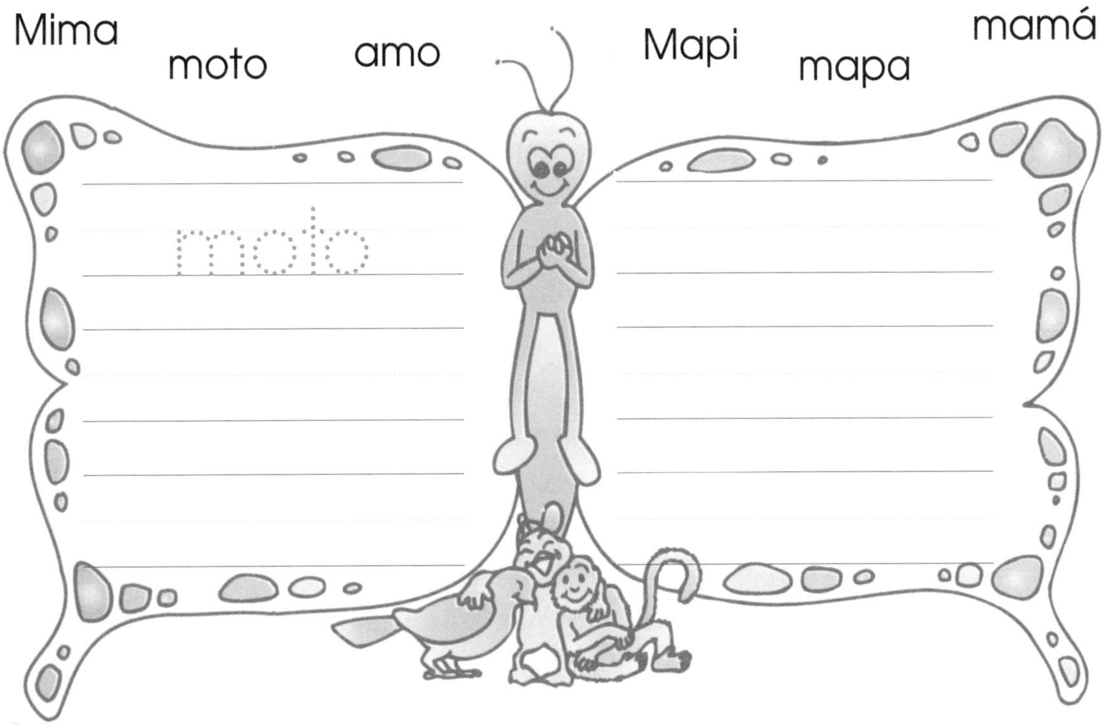

Fonética

A **Encierra** en un círculo la sílaba inicial que corresponde a cada dibujo.

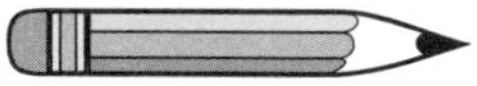

la	lo	li	la	la
lu	le	lo	li	lu
le	lu	la	le	li

B **Encierra** en un círculo la palabra correcta.

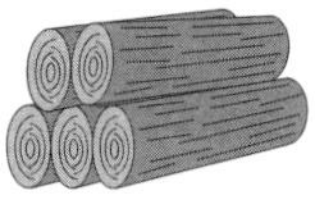

pala	Pepe	melón	lupa
palo	pelo	mesa	mota
lata	peso	ola	meta

A **Encierra** en un círculo la sílaba inicial que corresponde a cada dibujo.

se	su	se	su	so
si	sa	sa	se	si
so	se	si	so	su

B **Resuelve** el crucigrama.

A **Encierra** en un círculo la sílaba inicial que corresponde a cada dibujo.

N-n

na nu ne ni no

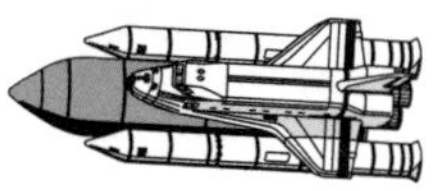			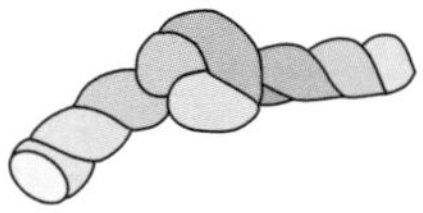	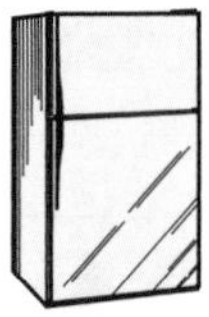
na	ne	ni	no	nu
ne	no	ne	nu	na
ni	nu	nu	ni	ne

B **Forma** dos palabras de dos sílabas con cada grupo. **Escríbelas.**

pi	no
	so

pa	la
	na

sa	no
	lo

la	na
	so

pino

piso

Nuestra lengua

A **Completa** las oraciones con las palabras del recuadro.

1. Mira cómo sube el mono

2. La mamá ama a su ________.

3. Lulú pone la ________.

4. Pipo no teme al ________.

lobo

mesa

nena

mono

B **Pon** las letras en orden y **escribe** la palabra.

1. a n m o mano

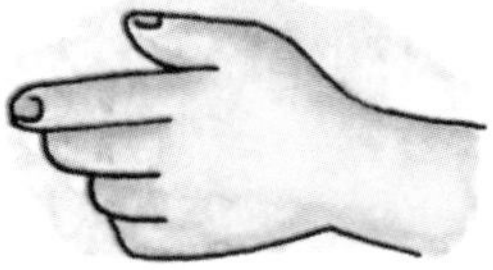

2. b u n e ________.

3. s o o ________.

4. l a a p ________.

2 ¡A LA LUNA!

Fonética

A **Encierra** en un círculo la sílaba inicial que corresponde a cada dibujo.

D-d da de do di du

da	di	du	de	da
di	do	do	di	du
do	de	da	do	de

B **Completa** las oraciones con la palabra del dibujo.

1. El dedal se pone en el dedo.

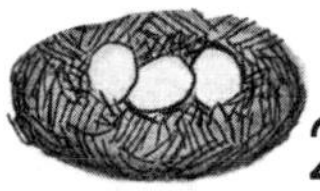

2. El ______________ está alto.

3. ______________ es un dinosaurio.

A **Encierra** en un círculo la sílaba inicial que corresponde a cada dibujo.

B-b

ba bu bi bo be

bu	ba	bo	bu	bi
bi	be	bu	bo	be
bo	bi	be	be	bo

B **Busca** en la ilustración nombres de objetos que tengan **b. Escríbelos.**

nubes

A **Encierra** en un círculo las letras iniciales que corresponden a cada ilustración.

F-f

fa fe fi fo fu

fa
fe
fi

fo
fu
fa

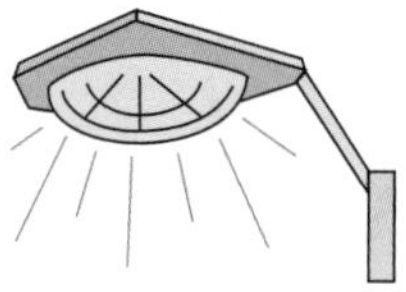

fi
fo
fa

fa
fi
fu

B **Copia** las palabras en la columna que les corresponde.

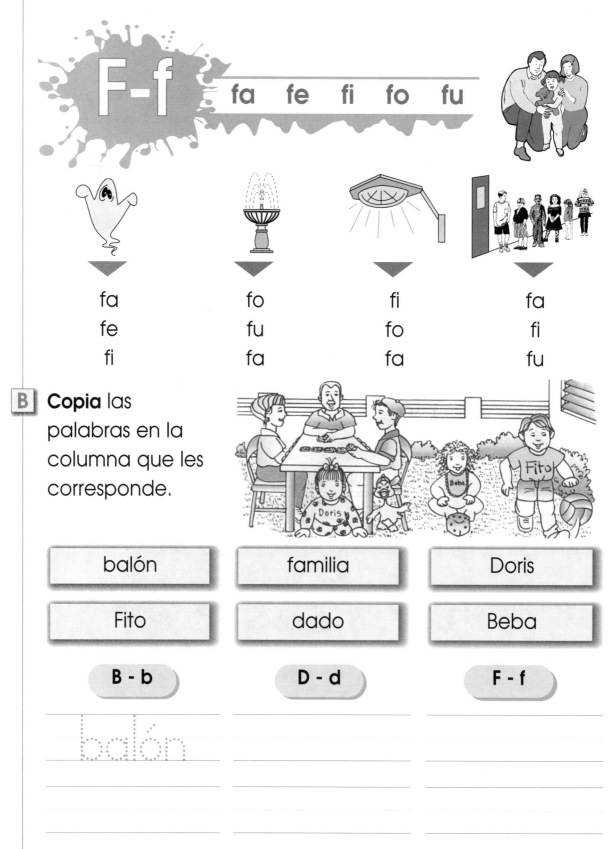

balón	familia	Doris
Fito	dado	Beba

B - b	D - d	F - f
balón		

Nuestra lengua

A **Busca** personas, animales y cosas en la escena. **Copia** los nombres en la columna que corresponde.

Personas	Animales	Cosas

B **Escribe** un nombre sustantivo para cada persona, animal o cosa.

3 TODO CAMBIA

Fonética

A **Encierra** en un círculo las letras iniciales que corresponden a cada dibujo.

V-v vi vo ve va vu

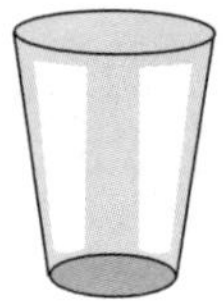				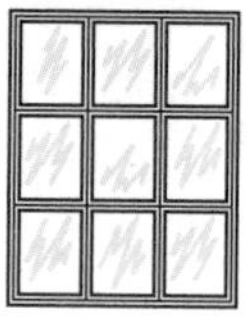
va	va	ve	vi	vu
ve	ve	vi	vo	ve
vu	vu	vu	va	vo

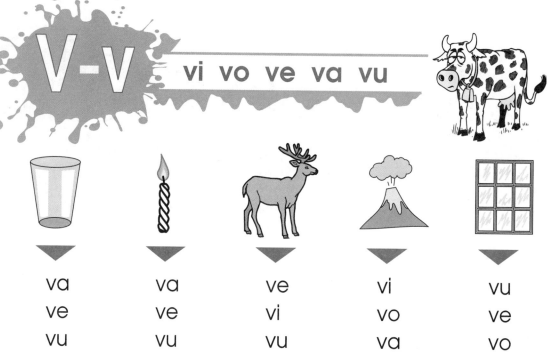

B **Recorta** de un periódico o de una revista seis palabras que tengan **V** o **v. Pégalas** aquí.

A **Encierra** en un círculo la sílaba que corresponde a cada dibujo.

Ñ-ñ

ña   ñe   ñu   ño   ñi

ñi	ñe	ñe	ñi	ñi
ña	ña	ñi	ñe	ño
ño	ño	ño	ño	ña

B **Lee** las palabras del recuadro. **Úsalas** para rotular las ilustraciones de abajo.

piña	moño	muñeca
uña	cañón	paño

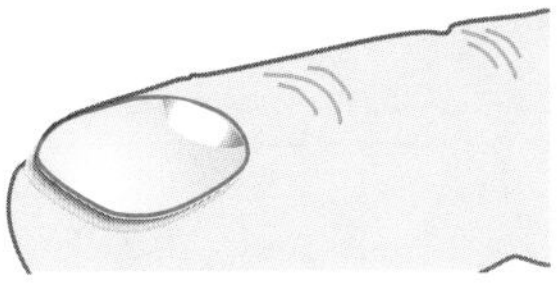

uña

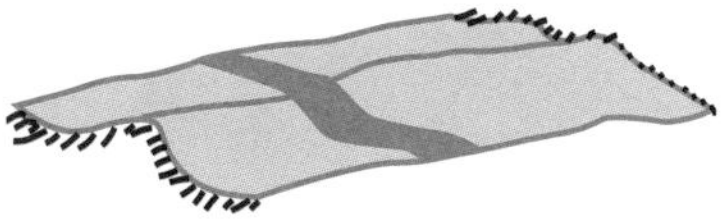

A **Encierra** en un círculo la sílaba que corresponde a cada dibujo.

H-h   ha he hi ho hu

hu	ha	hi	ha	hi
hi	he	ho	he	hu
ha	hi	hu	ho	he

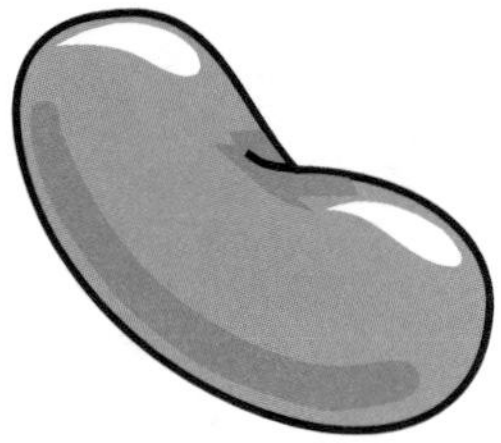

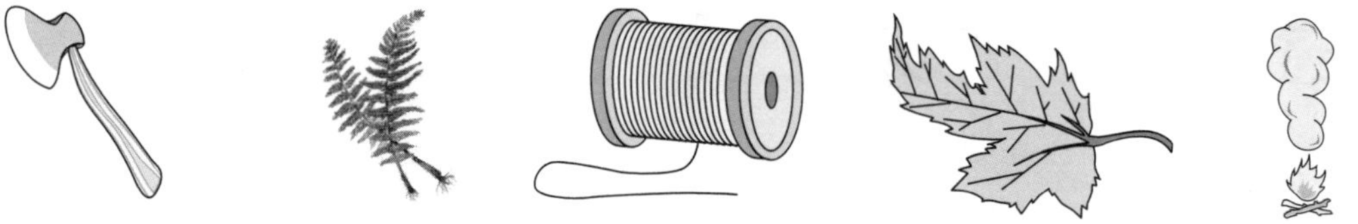

B **Completa** las palabras con las sílabas de los recuadros.

ñe va hu ña hie ve

nado   ni

bo   mu   ca

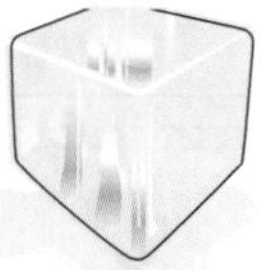

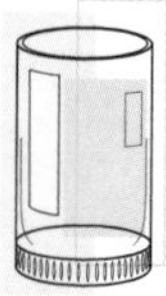

so   mo

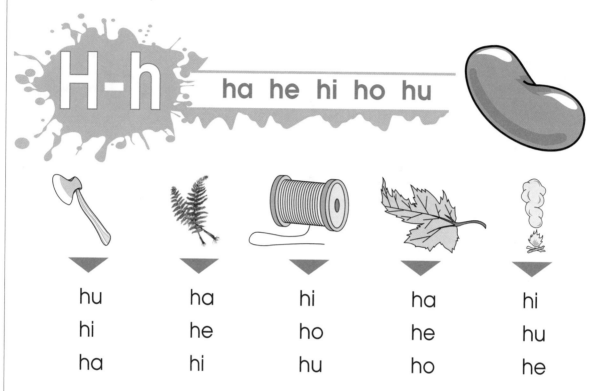

Nuestra lengua

A **Escribe** seis sustantivos que se ven en la ilustración.

1. Vita
2.
3.
4.
5.
6.

B **Agrupa** los siguientes sustantivos en comunes y propios.

hielo hilo Toño Lola niña Vita

sustantivos comunes	sustantivos propios

Fonética

A **Encierra** en un círculo las letras iniciales que corresponden a cada dibujo.

R-r ra ru re ri ro

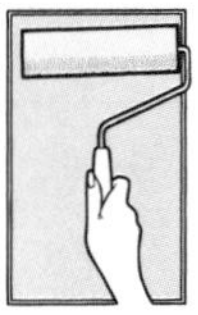

ro	ru	ri	ri	ro
ri	ra	re	ra	ru
re	re	ro	ru	ra

B **Busca** en la sopa de letras siete palabras que comienzan con **r**.

r	a	m	a	r	o	r	i	f	a
o	r	u	r	r	e	l	o	k	r
s	o	r	i	r	a	r	a	r	u
a	p	r	s	o	r	i	m	a	s
r	a	n	a	r	o	k	o	l	o

A **Encierra** en un círculo las letras que pertenecen a cada dibujo. **Escribe** las palabras.

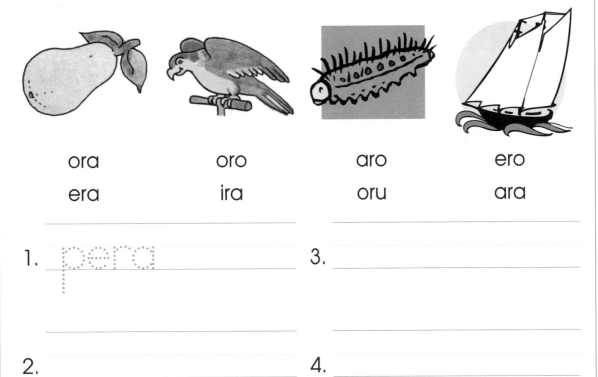

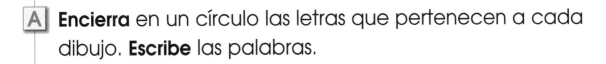

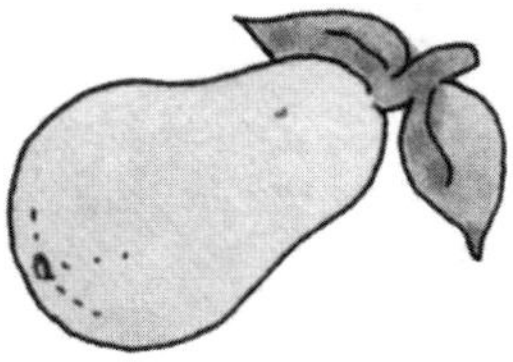

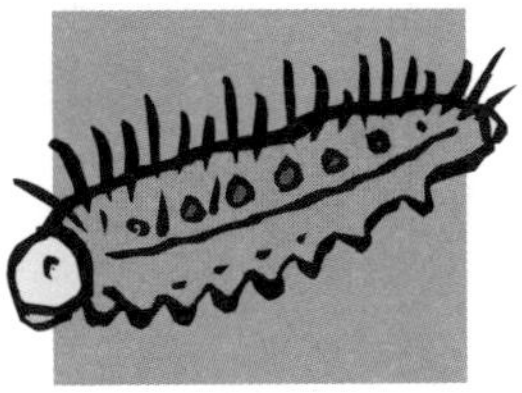

ora	oro	aro	ero
era	ira	oru	ara

1. pera

2.

3.

4.

B **Forma** dos palabras de dos sílabas con cada grupo. **Escríbelas.**

ra ro	re mo	ca ro	ra na
sa	ra	pa	mo

rosa

A **Traza** las palabras con rr y r. Lee las palabras.

torre

carro

perrita

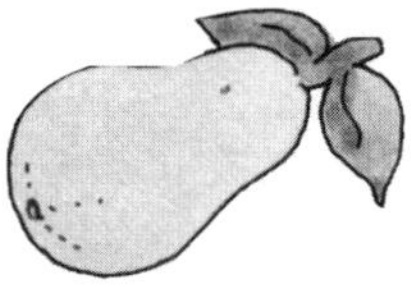

pera

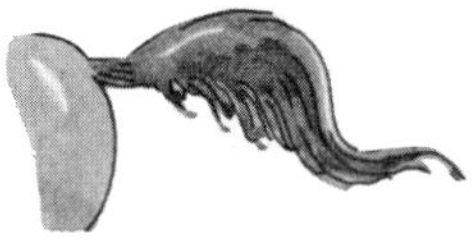

rabo

loro

B **Completa** las palabras con sílabas de las flores.

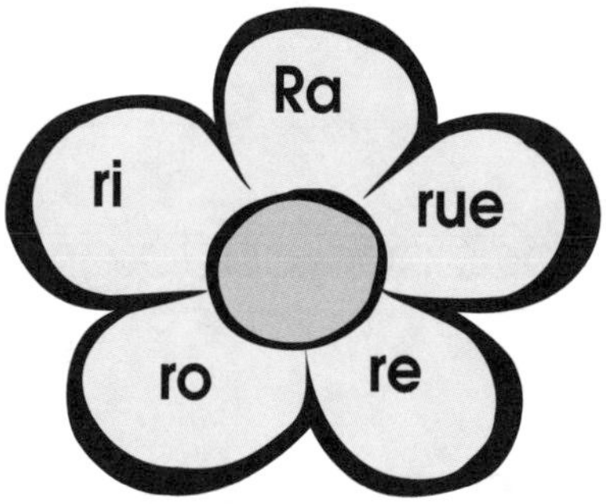

fa

mo

da

pe

món

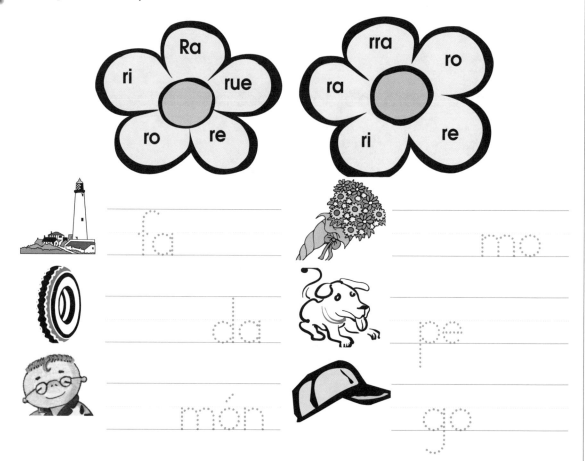

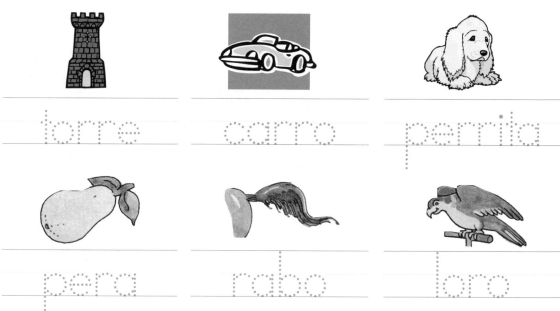

go

Nuestra lengua

A **Escribe** los nombres de los animales en la columna correspondiente.

masculino	femenino
1. toro	1. vaca
2.	2.
3.	3.
4.	4.
5.	5.
6.	6.

5 Nos ayudamos

Fonética

A **Encierra** en un círculo la sílaba que corresponde a cada dibujo.

C-c ca co cu

 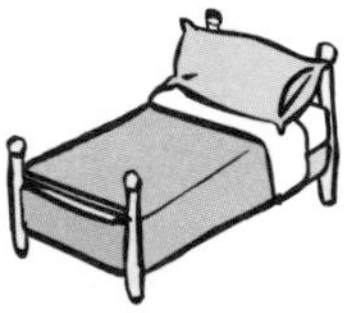   

ca	co	ca	cu	co
co	ca	co	ca	ca
cu	cu	cu	co	cu

B **Rotula** los dibujos.

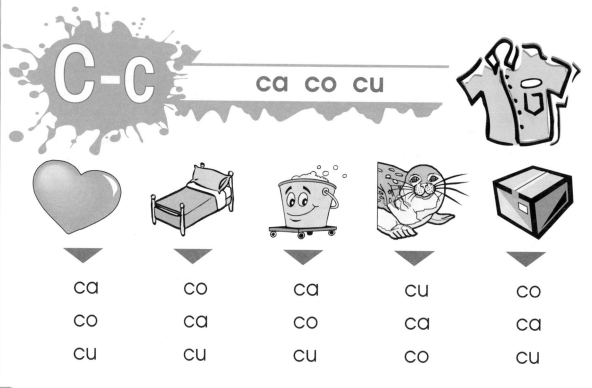

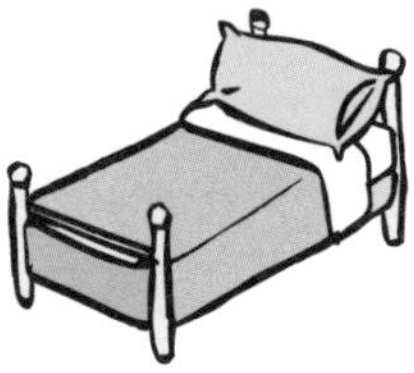  

A **Encierra** en un círculo las letras que corresponden a cada dibujo.

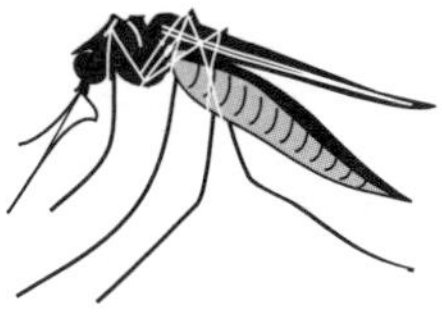

Q-q   Que que Qui qui

que   qui   que   qui   que
qui   Qui   qui   que   qui

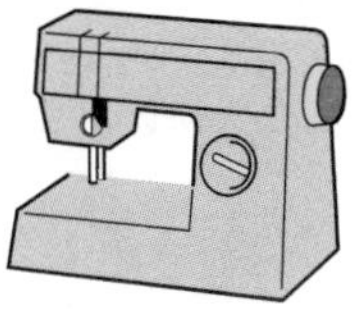

B **Rotula** con palabras que tengan **que** o **qui**.

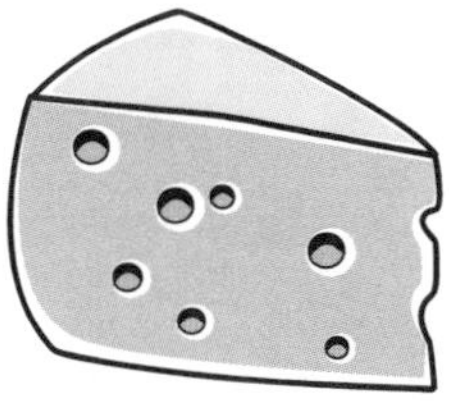

queso

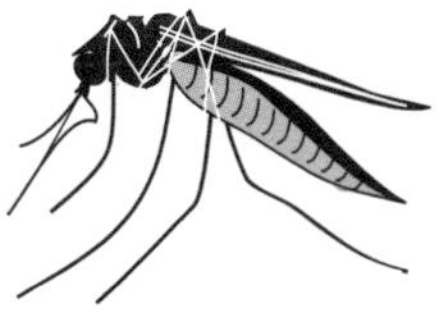

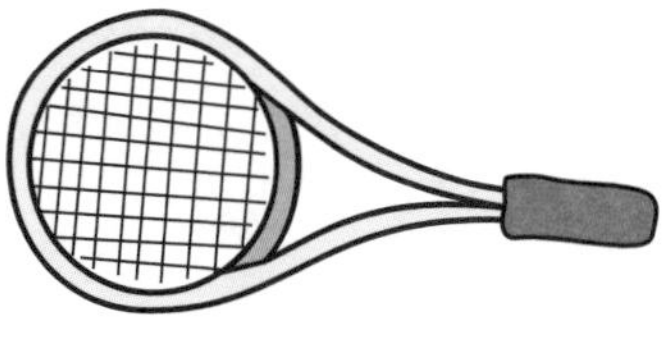

C **Llena** los espacios con **ca**, **co** o **cu**. **Traza** las palabras.

1. ____ento
2. ____sa
3. ____rona
4. ____misa
5. ____nejo
6. es____ela

D **Llena** los espacios con **que** o **qui**.

1. pi____to
2. ____darse
3. a____lla
4. sa____to
5. ____ja
6. ____nientos

Nuestra lengua

A **Lee** y **traza** la respuesta.

Yo te miro; tú me miras.
A la pregunta, encerramos.
Somos hermanos gemelos
y, de frente, nos miramos.

- La respuesta es: signos de interrogación

B **Escribe** signos de interrogación en las oraciones que son preguntas. **Escribe** punto en las que no lo son.

1. ¿ Dónde vive la foca Camica ?
2. ____ Quique está en el columpio ____
3. ____ Cuándo es tu cumpleaños ____
4. ____ A Vilma le encanta el queso ____
5. ____ El caracol sacó los cuernos al sol ____
6. ____ Quién ganó el juego ____
7. ____ La pequeña cuculí se curó ____
8. ____ Me quieres mostrar tu rompecabezas ____

Fonética

A **Encierra** en un círculo las letras que corresponden a cada dibujo.

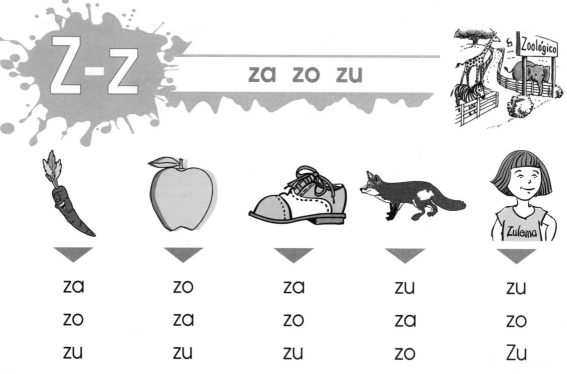

za	zo	za	zu	zu
zo	za	zo	za	zo
zu	zu	zu	zo	Zu

B **Completa** las palabras con la sílaba o letras correspondientes.

za	zo	zu
___bra	ta___	a___car
___pato	la___	calaba___
a___l	cere___	___mbido

A **Encierra** en un círculo las letras que corresponden a cada dibujo.

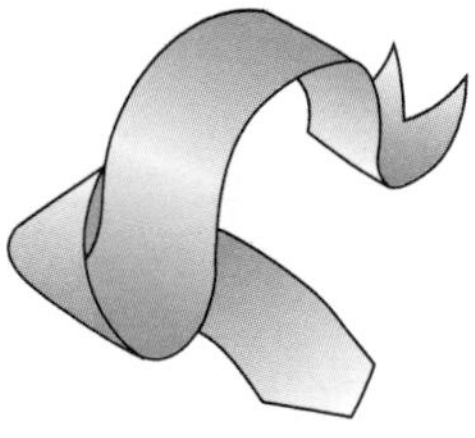

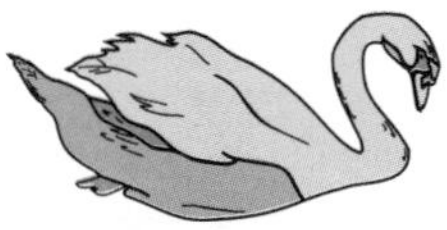

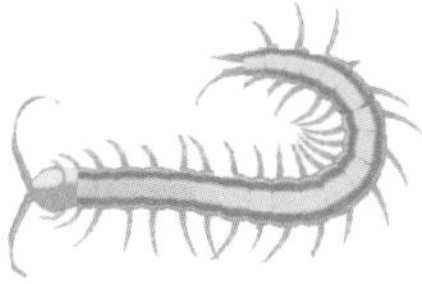

ce	ce	ci	ce	ce
ci	ci	ce	ci	ci

B **Traza** las palabras para completar las oraciones.

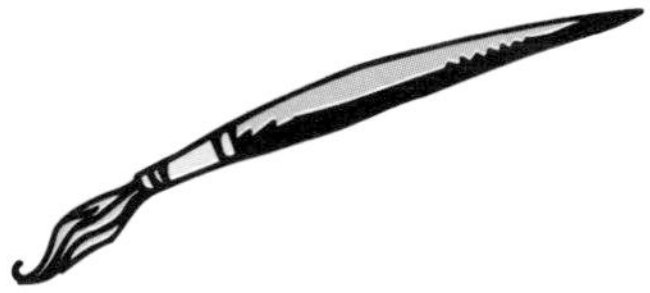

Yo no tengo pincel.

No hay nada en la cesta.

Me gustan las cerezas.

¡Qué lindo cisne!

C **Busca** en la sopa de letras seis palabras con **za**, **zo**, **zu** o **ce**, **ci**.

X	C	I	R	U	E	L	A
C	E	R	O	B	D	Y	L
G	R	H	I	J	K	A	A
C	E	R	E	Z	A	Z	Z
Z	A	P	A	T	O	U	O
U	A	B	E	R	O	L	A

- **Escribe** las palabras que encontraste.

1. ______________________ 4. ______________________

2. ______________________ 5. ______________________

3. ______________________ 6. ______________________

Nuestra lengua

A **Une** cada dibujo con su adjetivo.

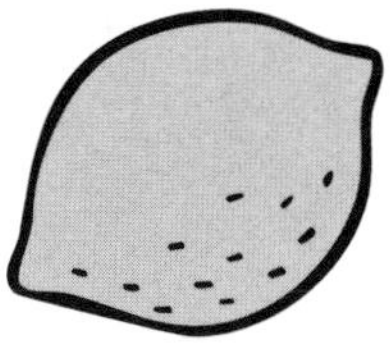

brillante

suave

ácido

azul

cómica

B **Escribe** cuatro adjetivos que describan una manzana.

roja

Fonética

A **Encierra** en un círculo las letras que corresponden a cada dibujo.

Ch-ch cha che chi cho chu

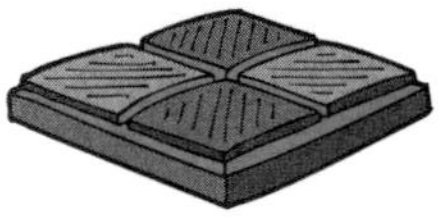 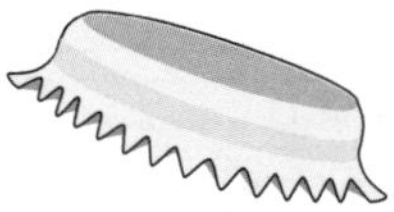 

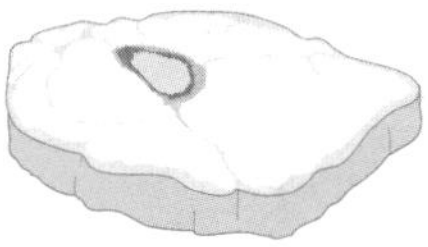 

cha	chi	che	chu	cha
chu	cha	chu	cha	cho
cho	cho	chi	cho	chi

B ¿Qué es? **Traza** la palabra correcta que va con el dibujo.

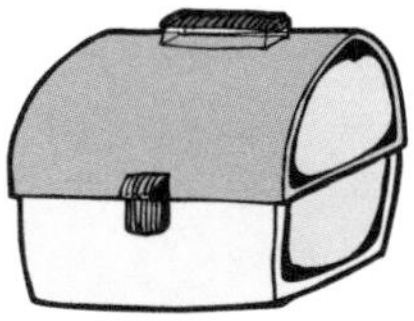

lancha

lonchera

chinelas

chalina

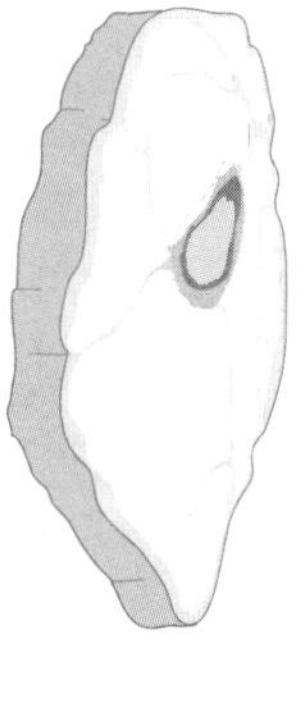

chuleta

chorrera

lechuza

leche

Encierra en un círculo la sílaba que corresponde a cada dibujo.

LI - II

lla   lle   lli   llo   llu

lla	lli	llo	lla	lli
lli	lla	lla	lle	lle
llo	llu	llu	llu	llu

B **Escribe** el nombre de cada dibujo. Todas las palabras tienen **ll**.

1   2   3   4

1. _____

2. _____

3. _____

4. _____

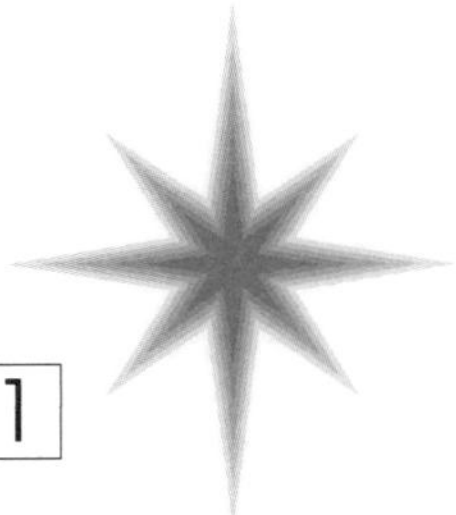

A **Encierra** en un círculo la sílaba inicial que corresponde a cada dibujo.

Yiyi

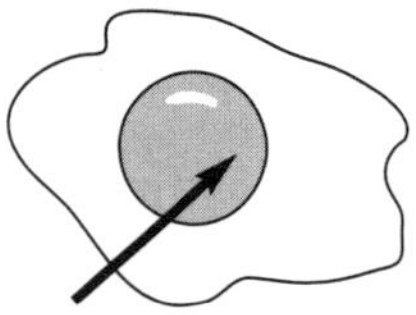

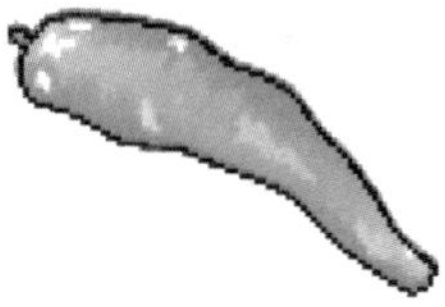

ya	ya	ya	ya
yi	ye	yo	ye
yo	yi	ye	yu

B **Completa** las palabras con la sílaba correspondiente.

lla ya	lle ye	lli yi	llo yo	llu yu

caba___ ba___na pla___

ga___na yo___ pa___so

desa___no ardi___ ___te

Nuestra lengua

A **Une** cada oración con el dibujo que corresponde.

¡Ay, qué mal me siento!

¡Qué sueño!

¡Qué rico!

B **Completa** con una palabra apropiada. **Pon** el signo que corresponde.

¿Cómo te sientes?

¡Muy

¿Cómo te

Me llamo

Fonética

A **Encierra** en un círculo la sílaba inicial que corresponde a cada dibujo.

G-g gu go ga

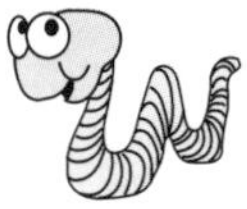

gu	go	gu	gu
go	ga	go	go
ga	gu	ga	ga

B **Completa** los nombres de los dibujos.

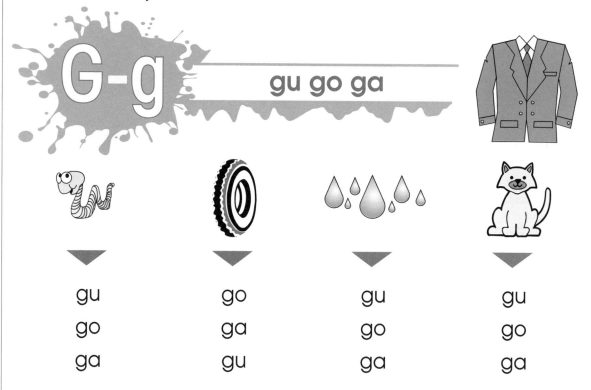

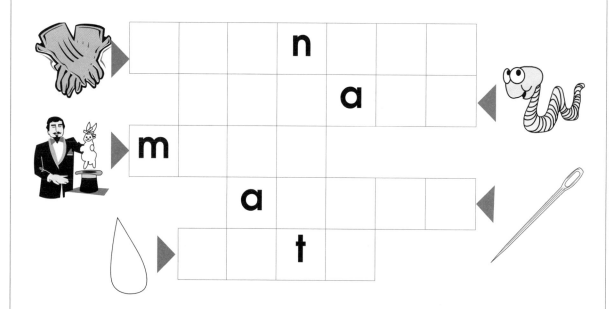

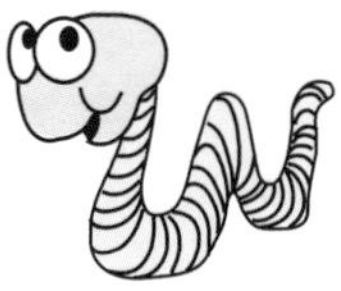

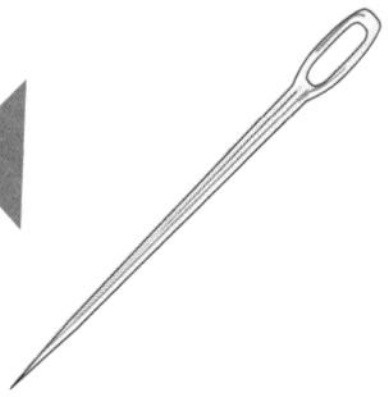

			n			
				a		
m						
		a				
			t			

A **Encierra** en un círculo las letras que corresponden a cada dibujo.

Gu-gu

gue gui güe güi

gue	gue	gue	güi
güi	gui	gui	gui

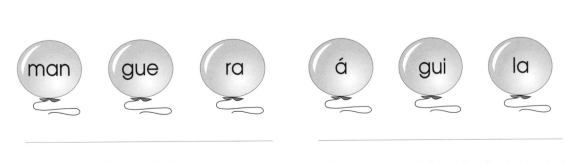

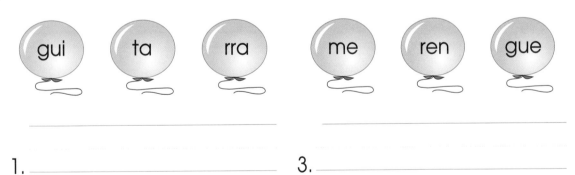

B **Junta** las sílabas y **escribe** las palabras.

gui ta rra

me ren gue

1. ______________________

3. ______________________

man gue ra

á gui la

2. ______________________

4. ______________________

C **Traza** las palabras y **léelas**.

pingüino

cigüeña

lengüeta

D **Completa** las oraciones según el dibujo.

Tengo un

Veo una

Es una

Es un

Nuestra lengua

A **Escribe** el plural de las siguientes palabras:

cebolla

cebollas

ratón

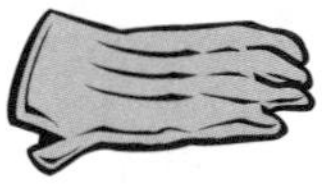
guante

mago

pincel

B **Completa** las frases con la palabra en plural.

una casa

dos
casas

un caracol

tres

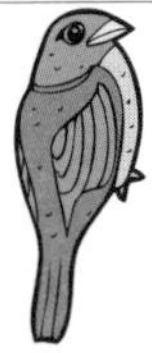
un gorrión
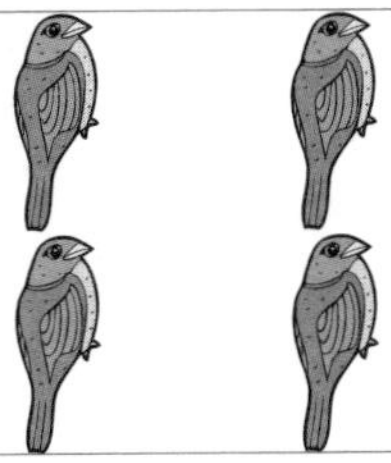
cuatro

Fonética

A **Encierra** en un círculo la sílaba que corresponde a cada dibujo.

J-j

ja je ji jo ju

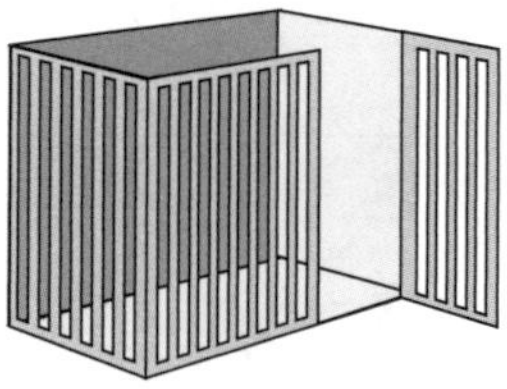

ju	je	ja	ju	ji
ja	ji	jo	jo	ju
jo	ju	je	ja	ja

B **Une** la palabra con el dibujo que corresponde. Luego, **escribe** las palabras donde corresponden.

jinete  ________________

jamón  ________________

espejo  ________________

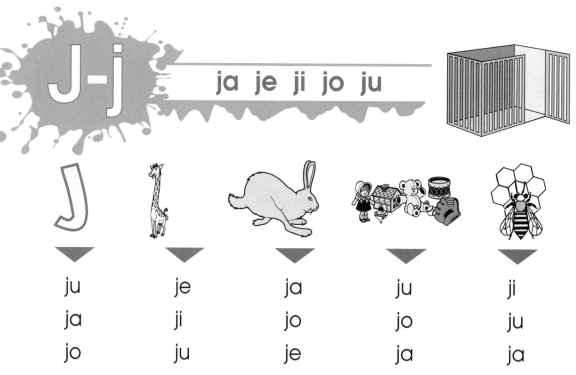

A **Encierra** en un círculo la sílaba que corresponde a cada dibujo.

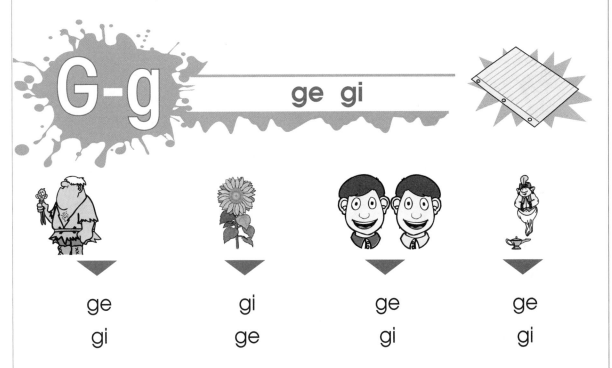

G-g

ge gi

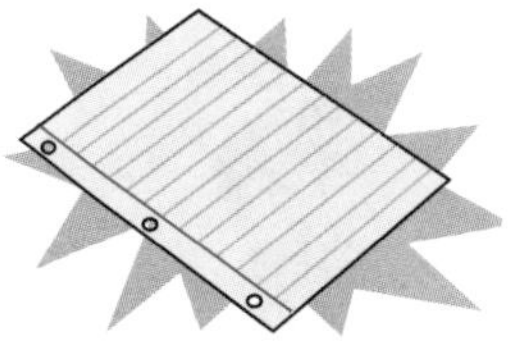

ge
gi

gi
ge

ge
gi

ge
gi

B **Busca** en la sopa de letras dos palabras que comienzan con **ge** y dos que comienzan con **ji**.

a	j	i	n	e	t	e	u	p
t	i	a	v	o	j	s	d	g
b	r	g	e	r	a	n	e	o
g	a	l	n	x	c	f	h	r
v	f	g	e	n	e	r	a	l
j	a	t	s	l	u	o	q	x

C **Completa** las palabras con la sílaba que falta.

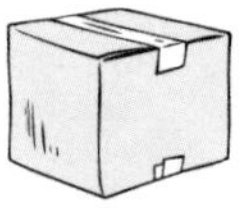
ca

bara

rasol

nio

cone

roba

gante

rafa

guetes

ho

D **Completa** las oraciones con palabras que tengan **g** o **j**.

1. Tiene el cuello largo.

Es una

2. Es más grande que nadie.

Es un

3. Son mellizos.

Son

Nuestra lengua

A **Escribe** las palabras en la tabla, según estén en singular o en plural.

pez
nueces
voces
lápices
perdiz
cruz

Singular	Plural
pez	nueces

B **Traza** las oraciones. **Complétalas** con una palabra de la tabla de arriba.

1. Pescamos un ______ grande.
2. No me gustan las ______.
3. Tengo tres ______ de colores.

Fonética

A **Encierra** en un círculo las letras que corresponden al nombre de cada dibujo.

K-k ka ki ko ke ku

ko	ko	ki	ka
ki	ki	ku	ku
ke	ka	ko	ke

B **Resuelve** el crucigrama.

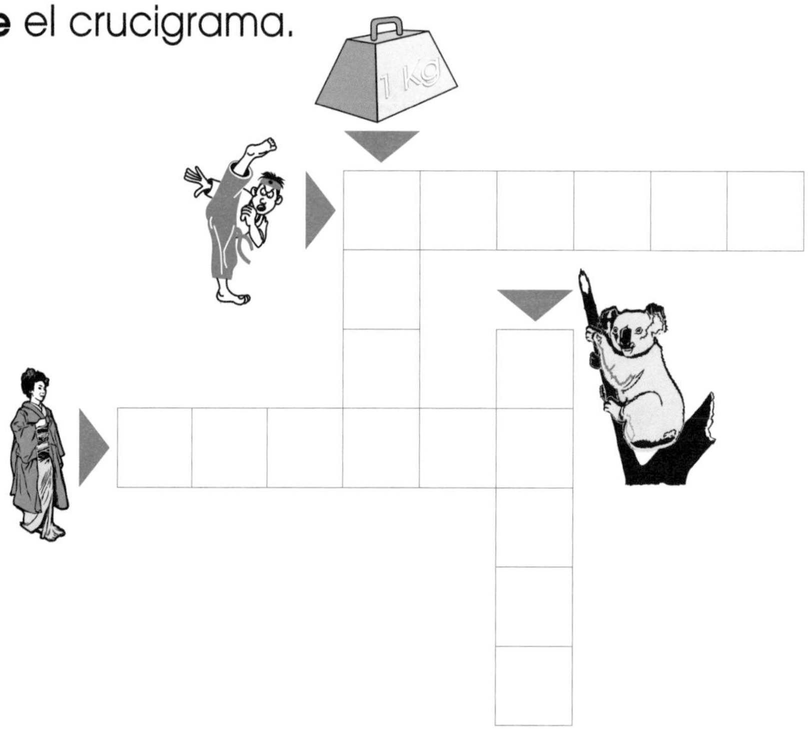

A **Encierra** en un círculo las letras que corresponden a cada dibujo.

wi	wi	wa
wa	Wa	wi

B **Une** con líneas para formar oraciones. **Escríbelas**.

Esto — pesa un

Esto	presidente 
Ayer	pesa un 
Es el	me comí dos 

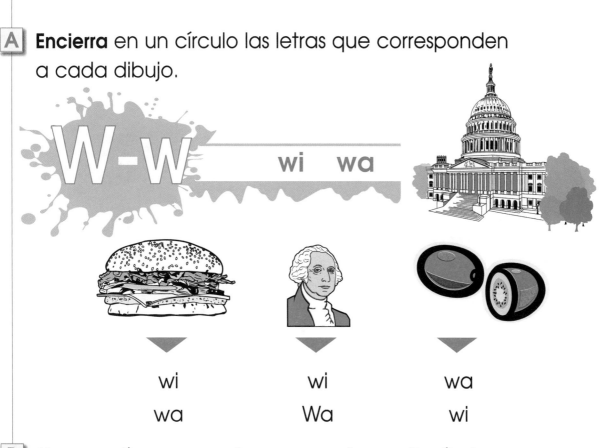

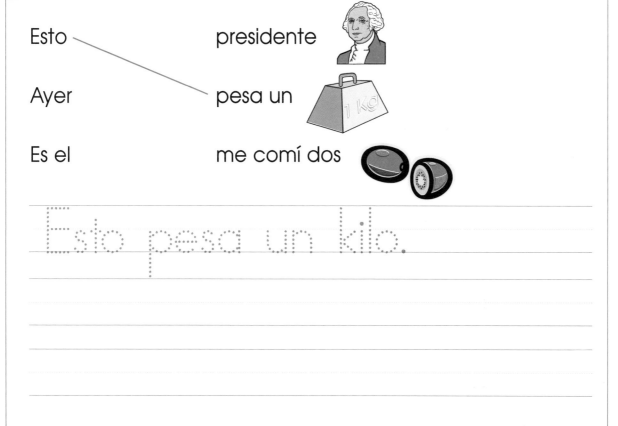

Esto pesa un kilo.

A **Encierra** en un círculo la sílaba que corresponde al nombre de cada dibujo.

X-x

xi xu xa xo xe

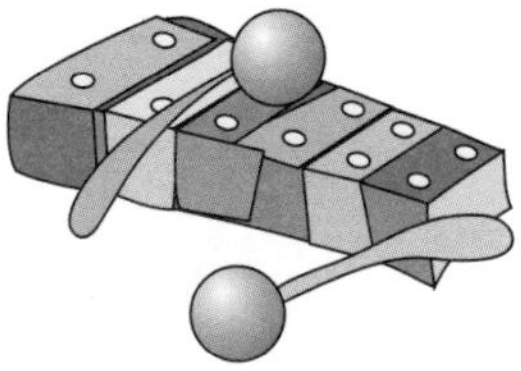

xe	xa	xa	xo
xa	xe	xe	xa
xi	xo	xo	xi

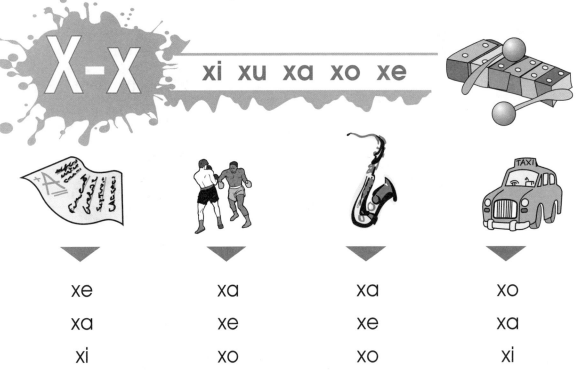

B **Completa** las oraciones con la palabra de cada dibujo de arriba.

1. Vamos a la estación en ____________________

2. Pedro toca bien el ____________________

3. No me gusta el ____________________

4. Ayer tuvimos un ____________________

Nuestra lengua

C **Escribe** qué hacen con la forma adecuada del verbo en los recuadros.

____

zumba

zumban

____

juego

juega

____

nada

nadan

____

habla

hablan

____

limpia

limpian

____

toca

tocan